Marin Co. Spanish
Spanish 972.81 Puy
Puy, Edgar de
Guatemala
31111030576324
DEC 1 0 REC'D
12/10

Guatemala

DATE DUE

DEMCO, INC. 38-2931

D1073814

everest

Dirección editorial: Raquel López Varela

Coordinación editorial: Mónica Santos del Hierro

Texto y fotografías: Edgar de Puy y Francisco Sánchez (Servicios Editoriales Georama, S. L.)

Diagramación: Gerardo Rodera

Diseño de cubierta: Francisco A. Morais

Cartografía: Servicios Editoriales Georama, S. L.

Tratamiento digital de imágenes: David Aller y Ángel Rodríguez

Editorial Everest le agradece la confianza depositada en nosotros al adquirir este libro, elaborado por un amplio y completo equipo de Publicaciones formado por fotógrafos, ilustradores y autores especializados en turismo, junto a nuestro moderno departamento de cartografía. Everest le garantiza la total actualización de los datos contenidos en la presente obra hasta el momento de su publicación, y le invita a comunicarnos toda información que ayude a la mejora de nuestras guías, porque nuestro objetivo es ofrecerle siempre un TURISMO CON CALIDAD.

Puede enviarnos sus comentarios a:
Editorial Everest. Dpto. de Turismo
Apartado 339 – 24080 León (España)
e-mail: info@everest.es

Reservados todos los derechos de uso de este ejemplar. Su infracción puede ser constitutiva de delito contra la propiedad intelectual. Prohibida su reproducción total o parcial, comunicación pública, tratamiento informático o transmisión sin permiso previo y por escrito. Para fotocopiar o escanear algún fragmento, debe solicitarse autorización a EVEREST (info@everest.es), como titular de la obra, o a CEDRO (Centro Español de Derechos Reprográficos, www.cedro.org).

© EDITORIAL EVEREST, S. A.
Carretera León-La Coruña, km 5 - LEÓN
ISBN: 978-84-441-3112-2
Depósito legal: LE. 967-2010
Printed in Spain - Impreso en España

EDITORIAL EVERGRÁFICAS, S. L.
Carretera León-La Coruña, km 5
LEÓN (España)

La bandera del país ondea ante el Centro Cívico de Ciudad de Guatemala.

CRISOL AMERINDIO BAJO LOS VOLCANES DE LA ETERNA PRIMAVERA

Guatemala es un estado de América Central, uno de los más extensos, con 108,889 km^2, y uno de los más poblados (más de 13 millones de habitantes) y con mayor número de población indígena (un 60 por ciento de la población es descendiente de los mayas y habla 23 idiomas reconocidos).
Guatemala está bañada por el océano Pacífico, al sur; y por el océano Atlántico o mar Caribe, al este: en la pequeña franja del golfo de Honduras.
A grandes rasgos, son tres las regiones naturales de Guatemala: las planicies selváticas del norte, los sistemas montañosos del centro y las tierras bajas del Pacífico.

La zona norte está ocupada por una planicie así como por una espesa selva, un área poco explorada donde se esconde el mítico mundo de los mayas. La región del **Petén** es la zona de Guatemala menos poblada y más desconocida. Son las ruinas de ciudades mayas como **Tikal, Uaxactún, Yaxhá** y el apartado **El Mirador** las que han atraído turistas y exploradores a estas selvas de bosques húmedos que todavía guardan secretos entre los enormes árboles tropicales. De éstos se extraen maderas nobles y uno de ellos segrega una sustancia con la que se elabora la goma de mascar, o lo que popularmente conocemos como chicle. El río fronterizo con Chiapas, Usumacinta, es el más caudaloso del país y son afluentes el San Pedro y el río de la Pasión, al sur del Petén y en cuyas riberas están las ruinas de **El Ceibal**.

En la página de al lado, Livingston, en el Caribe guatemalteco; bajo estas líneas el volcán Tolimán y el lago Atitlán.

Vista de Flores.

Río en Cobán.

El **lago Izabal** abre el país al Caribe y, algo más al sur, el árido valle de río Montagua (el más largo del país) separa la región montañosa y sus altiplanos.
Guatemala está compuesta de diferentes cordilleras de montañas y unos 33 volcanes, tres de ellos activos: la **sierra Madre Sur** (al sur) y la **sierra de los Chucumatanes** (al norte) son dos cadenas montañosas fruto del plegamiento andino y ocupan casi dos tercios de la superficie de Guatemala atravesando el país de este a oeste. Se trata de altos volcanes y picos entre los que destaca el volcán Tajumulco: con 4,220 metros es la cumbre más elevada de Centroamérica. En las altiplanicies, entre volcanes y fértiles valles fluviales dado el clima templado, se concentra buena parte de la población guatemalteca y es en esta región donde se asienta la actual capital, la ciudad de Guatemala, una de las urbes más pobladas de Centroamérica. La **ciudad de Guatemala** o Guate fue destruida por un terremoto en el año 1917, un fuerte sismo que se repetiría en 1976 arruinando buena parte de las viviendas capitalinas, sobre todo en su periferia. En esta región se halla la ciudad colonial de **Antigua**, la vieja capital también arrasada por un potente terremoto; el **lago Atitlán**, idílico rincón pero cada vez más contaminado rodeado de pueblos indígenas y volcanes; **Chichicastenango** o Chichi, famosa por su mercado que aglutina, como la religión, miles de colores o Xela o **Quezaltenango**, la segunda ciudad del país y puerta de entrada a los pueblos del Altiplano, más remotos y desconocidos.
Finalmente, bajo estas pantallas orográficas se encuentran las tierras bajas del Pacífico, una franja litoral calurosa de unos 260 kilómetros de costa que no supera los 50 kilómetros de ancho ocupada por plantaciones y por donde discurren ríos de cauce caudaloso. También es una región poco poblada y es la más desconocida y menos explotada de cara al turismo, tiene un carácter poco accidentado y cubierto de manglares y palmeras, como el espacio natural de **Monterrico**, su máximo exponente.

Dos vistas del Pacífico guatemalteco. Arriba, Reserva Natural de Monterrico; abajo, Iztapa.

No hay que olvidar que, dentro del potencial hídrico del país, existen importantes lagos que se convierten también en recursos turísticos como el bello lago Atitlán o el lago Izabal, puerta del Caribe y, con sus más de 300 km^2, el más extenso.
Por su situación, entre el Trópico de Cáncer y el Ecuador, Guatemala tiene dos estaciones: el verano o época seca (de octubre a mayo), y el invierno o época de lluvias (con septiembre como mes más lluvioso). La orografía afecta, lógicamente, a las temperaturas, lo que provoca que en las sierras o tierras altas se registren temperaturas agradables con noches algo frescas. Por otro lado, las costas del Caribe, del Pacífico y la Selva del Petén registran un ambiente caluroso y más soleado, siendo el valle Montagua una de las regiones más áridas de Centroamérica. Las principales ciudades se ubican a algo más de 1.000 metros de altura y tienen todo el año una temperatura agradable.

Arriba, estatua en Quetzaltenango; en la página de al lado, sitio arqueológico de Quiriguá.

CORAZÓN DE LA CIVILIZACIÓN MAYA

Los primeros vestigios de población en territorio guatemalteco datan del 2000 a.C. y sería en la costa del Pacífico donde la misteriosa y apasionante civilización maya dejaría sus primeros asentamientos. Poco a poco se adentrarían hacia los altiplanos para reagruparse y fundar ciudades como Kaminal Juyú, en lo que sería el emplazamiento de la actual ciudad de Guatemala. Fue en el período conocido como preclásico tardío cuando se fundan, gracias a los «avances tecnológicos», los famosos templos del norte silvestre del país, como Tikal o El Mirador, y sería en esta época (entre el 300 a.C. y el 300 d.C.) cuando esta civilización desarrolla la escritura. El período clásico (a partir del 300 d.C.) es el máximo esplendor de la cultura maya y ciudades de Guatemala reciben la influencia de las vecinas del norte, como Teotihuacan, de donde procedían las corrientes artísticas y religiosas. En esa época prosperan ciudades como Quiriguá, conocida por sus majestuosas estelas, o la vecina Copán, en Honduras. Con el declive de Teotihuacán decae también Tikal y empiezan a aumentar los conflictos bélicos y a despoblarse poco a poco las ciudades. La civilización maya, que floreció hasta los diez primeros siglos de nuestra era en Guatemala, así como en parte de sus vecinos México, Belice, Honduras y El Salvador, pasó a segmentarse en pequeños asentamientos y reinos que, misteriosamente, dejaron el área de El Petén para refugiarse en las montañas. Fruto de ese fenómeno es la diversidad etnolingüística actual de Guatemala. Soportando una fiera resistencia, las tropas españolas al mando de Pedro de Alvarado penetraron en el territorio en 1524, destruyeron asentamientos mayas como **Zaculeu** y **Mixco Viejo** y controlaron el territorio en pocos años desde **Iximché** (capital anterior a Antigua). Sería en 1821 cuando las autoridades coloniales, apoyadas por terratenientes y comerciantes, proclamarían, de manera pacífica, la independencia de lo que fue la Capitanía General del Reino de Guatemala, que englobaba a la actual Guatemala, Belice, Honduras, El Salvador, Nicaragua y Costa Rica. El Reino de Guatemala pasó a conocerse como Provincias Unidas de Centroamérica, federación que duraría sólo hasta 1839. Endeudado, el joven gobierno guatemalteco entregará al Reino Unido el actual territorio de Belice, conocido antes como Honduras Británica, y que suponía la mayor parte de la fachada atlántica y caribeña de Guatemala. La Reforma Liberal de 1871, y la introducción del cultivo masivo del café, en sustitución de los tintes vegetales, supuso que los pueblos sucesores de los mayas perdieran buena parte de sus tierras comunales, que concentrarían grandes terratenientes dedicados al monocultivo. Los primeros años del siglo XX supusieron la entrada de capitales norteamericanos que se fueron adueñando de los sectores clave de la economía del país: ejemplo claro fue la United Fruit Company, que deforestó grandes extensiones para dedicarlas a la producción del banano. Como en buena parte de los estados centroamericanos, la pugna entre liberales y conservadores, la omnipresencia del gigante americano y la sucesión de gobiernos militares marcaron en gran medida la escena política de los siglos XIX y XX. Fue en esa escena cuando nacieron las FAR (1962) y otros movimientos armados rebeldes que supondrían unas de las más sangrientas represiones.

principalmente a la población indígena del noroeste del país. Esta situación se ha visto agravada en los últimos años por sequías y también por huracanes, como el Stan, que asoló buena parte del país en 2005. Desde enero 2008 gobierna Álvaro Colom con políticas de corte populista y de ideología de centro-izquierda.
Más de un 60 por ciento de la población es una amalgama de pueblos descendientes de los mayas que hablan unos 23 idiomas (quiché, cakchiquel, kekchí, tzujil, mam... por citar algunos) y tiene como religión el catolicismo con formas de sincretismo con la religión indígena.
Otros pueblos y culturas son los denominados ladinos, que descienden de amerindios y españoles, así como población garífuna del Caribe y la minoría blanca de influyente decisión económica y política.
Guatemala se organiza administrativamente en 22 departamentos y buena parte de la población se concentra en los altiplanos, entre las sierras, y sobre todo en la capital y área metropolitana, que concentran más de tres millones de habitantes.

Arriba, Tikal; a la derecha, Quetzaltenango.

En 1987 se reunieron en Madrid la guerrilla y el gobierno después de 36 años de enfrentamientos armados y sería a finales de 1995, después de más de tres décadas de violencia, cuando se firmaron los acuerdos de paz que supondrían el final de la cruenta guerra civil y el reasentamiento de desplazados. Tres años antes Rigoberta Menchú, perteneciente a una de las etnias mayoritarias (la quiché) recibió el premio Nobel de la Paz en reconocimiento por la lucha de los frágiles derechos de la mayoría indígena de su país. La Fundación Rigoberta Menchú se encargó de denunciar cargos por genocidio durante la dictadura, sobre todo de Ríos Montt, que supuso la desaparición y muerte de más de 200.000 guatemaltecos, principalmente población indígena.
En 2002 se dirimieron las disputas territoriales entre Guatemala y Belice. A pesar de las recientes políticas sociales y de la mejora de la economía Guatemala tiene más de la mitad de la población bajo el umbral de la pobreza y afecta

Arriba, festejo en San Agustín de Acasaguastlán; abajo, niñas en Santa Catarina Palopó.

Ciudad de Guatemala. En esta página, el Hotel Vista Real; en la página de al lado, la Catedral.

LA CIUDAD DE GUATEMALA, LA GRAN URBE QUE RESISTE A LOS TERREMOTOS

Situada en una amplia meseta atravesada por barrancos, la extensa Ciudad Capital, como también se la conoce, se encuentra a unos 1.500 metros de altura sobre el nivel del mar, de ahí su temperatura agradable, incluso fresca en determinadas noches. Su territorio se divide administrativamente en 25 zonas atravesadas por un sistema de avenidas y calles numeradas. Destacan la calzada Roosevelt, Avenida Las Américas, Los Próceres o la 10ª, conocida también como La Reforma. Una circunvalación denominada Periférico permite salir a las diferentes direcciones del país: Puerto Quetzal (al sur), Puerto Barrios (al norte y este), Antigua o Mixco Viejo (al oeste).
Por su magnitud, la ciudad más populosa de Centroamérica (más de un millón de habitantes) constituye un indudable centro de servicios sin excesivos atractivos en cuanto a monumentos y aspecto urbano en general. Es punto de llegada del turismo internacional, ya que en Guatemala sólo existen dos aeropuertos internacionales, el de la capital y el de Flores (de escasa operatoria). Eso sí, concentra los mejores hoteles del país, como el moderno edificio del Tikal Futura o del lujoso Vista Real, así como diversos centros de convenciones. Por sus modernos centros comerciales, la ciudad de Guatemala también se convierte en un punto de referencia a la hora de realizar compras como las variadas opciones de artesanía nacional. El tráfico, la contaminación, el bullicio y la inseguridad nocturna en algunas zonas son algunas de las características que comparte con muchas otras ciudades de su dimensión.

Al sur de la ciudad ya existía un importante asentamiento preclásico maya: Kaminal Juyú. Aún así, la actual ciudad se proyectó cuando un fuerte terremoto acabó en 1773 con la vieja capital: Santiago de los Caballeros, más conocida como Antigua. Mediante una orden de Carlos III se fundó, dos años más tarde, Nueva Guatemala de la Asunción. La estructura de la ciudad se hizo siguiendo los patrones de Antigua y otras ciudades coloniales: una plaza central donde asomaban los principales poderes: catedral, edificios gubernamentales... y, en torno a ella, una estructura de calles y avenidas en plano ortogonal o damero que permitía el fácil control de la población. Será en el siglo XIX cuando se amplíe y mejore el urbanismo de la capital y se creen importantes parques, como el de la Aurora, al sur, junto al aeropuerto; o el Parque Minerva, al norte y donde se encuentra el monumental mapa en relieve. Igualmente, se construyó la conocida y dinámica avenida de La Reforma, área de servicios e instituciones oficiales que conecta con la 10ª avenida y que atraviesan la ciudad por el centro, de norte a sur. A ambos lados se abren las zonas 4, 9 y 10, que suponen la parte comercial de la ciudad, especialmente la zona 10, a escasa distancia del aeropuerto y que concentra parte de los principales hoteles y restaurantes.

Ciudad de Guatemala. Edificio de Correos.

Ciudad de Guatemala.
Plazuela Barrios.

Dada su delicada ubicación geográfica, en el lugar de contacto de varias placas tectónicas, la ciudad ha sufrido sacudidas sísmicas que supusieron que en 1917 se perdiese buena parte de los monumentos coloniales. En la actualidad vemos edificios reformados y recuperados de la época colonial (esencialmente la catedral e iglesias del centro). En 1943 el presidente Jorge Ubico construyó el Palacio Nacional así como el característico y emblemático edificio de Correos.
La ciudad de Guatemala es una urbe dominada por modernos e impersonales edificios, sólo se respira algo su pasado colonial en la zona 1 alrededor de lo que fue la vieja plaza de Armas donde se asentaba el Palacio de los Capitanes Generales. Y hoy, en el concurrido **Parque Central** o plaza de la Constitución, al que asoman puntos de interés como los inmensos edificios de la **catedral Metropolitana** y el Palacio Nacional, u otros cercanos como la Biblioteca Nacional, el Archivo General de Centroamérica o el Portal del Comercio, único elemento colonial que sobrevivió al terremoto de 1917.
La **catedral Metropolitana** es un edificio clásico construido entre 1782 y 1868, año en que se construirían sus torres. Amén de las diferentes reformas que sufrió a raíz de los terremotos muestra una coherente imagen barroca y neoclásica. Su interior guarda pinturas y esculturas que provienen de la catedral de Antigua. En cuanto a las bóvedas de la catedral o catacumbas están enterrados insignes personajes como arzobispos y presidentes de la República. El complejo catedralicio se completa con el Palacio Arzobispal y la capilla del Buen Socorro.

Ciudad de Guatemala. En la doble página anterior y en esta doble página, diferentes aspectos del Palacio Nacional de la Cultura.

Otro edificio notable se encuentra al norte de la plaza y es el **Palacio Nacional de la Cultura**, un enorme edificio revestido de granito verde que constituye, con sus cerca de 9.000 m², la construcción civil más grande de Centroamérica. Ocupa el emplazamiento del viejo Palacio de los Capitanes Generales y fue en 1943 cuando se construyó el definitivo edificio siguiendo una combinación del barroco español y del neoclásico francés. Su interior es sede de la presidencia y lo más interesante son sus pinturas, cristaleras, salones... Se puede visitar y merece la pena detenerse en el salón de Recepciones así como en el patio Esmeralda.

Ciudad de Guatemala. Tres aspectos del Mercado Central.

La amplia plaza la centra una monumental fuente y una enorme bandera de Guatemala con el característico quetzal, el ave que da nombre a la moneda nacional. Detrás de la catedral se halla el Mercado Central y en el sótano de la plaza del Sagrario se pueden obtener gran variedad de artesanías.
En el centro de la ciudad de Guatemala se pueden admirar algunos ejemplos civiles y religiosos que rememoran el pasado colonial. Destacan edificios como la **Universidad de San Carlos** o elegantes iglesias como **la Merced**, **San Francisco**, **Beatas de Belén**, **Santo Domingo** o **Santa Rosa**. Algo más alejada, en el **Cerrito del Carmen**, se halla el primer templo construido en el emplazamiento de la ciudad de Guatemala, inaugurado en 1620, que guarda un bello retablo colonial. Desde aquí se obtienen buenas vistas de la ciudad rodeada de amenazantes volcanes, como el Pacaya.
Otros lugares turísticos son, por ejemplo, en la zona 2, al norte del casco antiguo, el inmenso **mapa en relieve** del territorio nacional de Guatemala que, de manera reivindicativa, engloba al actual estado de Belice, antigua Honduras Británica. Contigua al casco viejo, hacia el sur, la céntrica y comercial zona 4, en lo que se conoce como Centro Cívico. Aquí se encuentran los edificios administrativos decorados con majestuosos relieves de evocación maya, como el del **Banco de Guatemala**, también está la **Municipalidad** o ayuntamiento.

Ciudad de Guatemala. En esta página, iglesias de San Francisco (a la derecha) y La Merced (abajo).

Ciudad de Guatemala. Arriba, Torre del Reformador.
En la página de al lado, arriba, iglesia de Yurrita; abajo, Banco de Guatemala.

Detrás de estos altos edificios una acogedora zona peatonal toma vida sobre todo por la noche, es lo que se conoce como **4 Grados Norte**. Cercano en una vieja fortaleza, sobre un bullicioso mercado, se encuentra el moderno **Centro Cultural Miguel Ángel Asturias**. Curioso edificio que toma el nombre de un importante poeta y dramaturgo guatemalteco, su arquitectura recuerda a una pirámide maya y constituye uno de los teatros más grandes del mundo. No muy alejada, siguiendo hacia La Reforma, asoma la modernista **iglesia de Yurrita**.
En la zona 10 se abre una de las arterias más modernas de la ciudad, la avenida de La Reforma. A un lado, una torre nos recuerda a la torre Eiffel de París: la **Torre del Reformador**. Entre las calles 12ª y 15ª se abre lo que se conoce como **Zona Viva,** el lugar idóneo para alojarse, para la gastronomía y para salir por la noche ya que aquí se concentran buenas discotecas y animados bares. Algo alejados pero en la misma zona encontramos algunas representaciones de los numerosos museos existentes en la ciudad: el **Museo Popol Vuh**, con una excelente colección de arte prehispánico, y junto a él, el **Museo Ixchel del Traje Indígena**, donde se puede comprobar la variedad de trajes regionales indígenas del país. Otros museos destacables son el **Museo de Historia Natural Jorge Ibarra** en la zona 10 (paseo de La Reforma) y el **Museo del Ferrocarril** y la **Casa Mima** donde se ambienta cómo vivían las familias burguesas de la ciudad, ambos en la zona 1.
Finalmente, junto al aeropuerto (zona 13), en el Parque de la Aurora, se ubica el zoológico para observar las típicas especies de la fauna centroamericana. En la misma finca se halla el **Museo Nacional de Arqueología y Etnología**, el **Museo Nacional de Arte Moderno Carlos Mérida** y cercano, también, el extenso Mercado de Artesanías.

Ciudad de Guatemala. Arriba, avenida de la Reforma; abajo, Museo del Ferrocarril. A la derecha, volcán de Pacaya.

Las visitas a la capital se pueden complementar con excursiones a los lugares arqueológicos cercanos como **Kaminal Juyú** (zona 7), **Mixco Viejo** (a las afueras) o lugares naturales como el **Parque Nacional Volcán de Pacaya**, uno de los pocos activos así como el **lago de Amatitlán**, al sur de la ciudad.

*En esta doble página,
tres vistas de la Antigua Guatemala desde sus miradores.*

ANTIGUA, JOYA COLONIAL ÚNICA

A unos 45 km de la ciudad capital se halla la vieja capital de Santiago de los Caballeros o Antigua Guatemala, Patrimonio de la Humanidad y joya del arte colonial español, una de las más afamadas y visitadas de Centroamérica e hito básico en la Ruta Colonial y de los Volcanes. Ciudad castigada por males como pestes, inundaciones y terremotos quedó detenida en el tiempo cuando sus moradores se trasladaron, tras el terremoto de 1773, a la nueva capital. Como se puede apreciar desde el mirador del **Cerro de la Cruz**, sus viejas calles, amenazadas por volcanes, forman una perfecta retícula que confluye en la **plaza Mayor** o Parque Central.

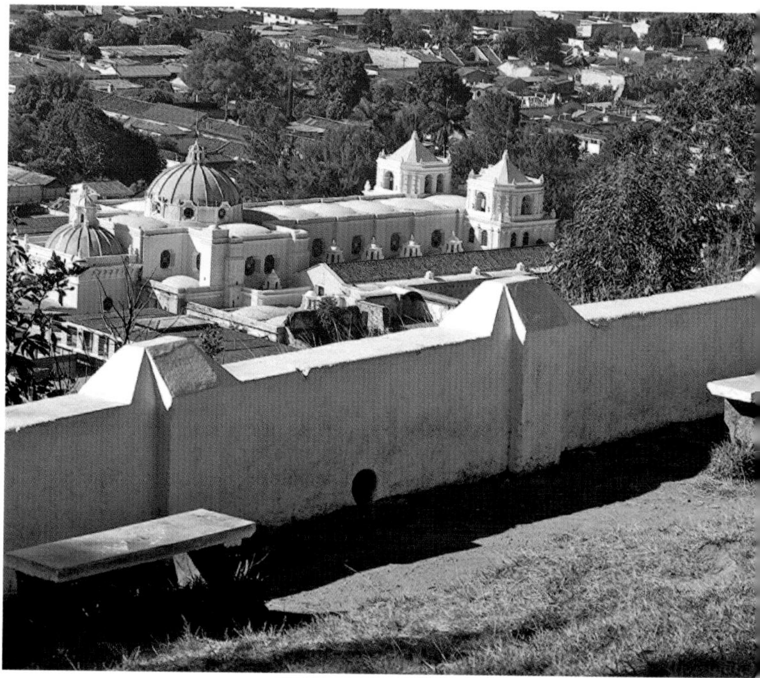

Antigua Guatemala. En la página de la izquierda, dos vistas de la Catedral; En esta página, el Palacio de los Capitanes.

Es en este amplio espacio en parte porticado donde asoman algunos de sus señoriales edificios, como la parroquia de San José o antigua **catedral** barroca; el **Palacio del Noble Ayuntamiento**; el porticado edificio que fue **Palacio de los Capitanes Generales** o el Palacio Arzobispal. Todo centrado en un romántico espacio arbolado y la legendaria **fuente de las Sirenas,** que se convierten en el escenario del trasiego de esta señorial y tranquila ciudad.

Antigua Guatemala. Arriba, convento de la Merced; a la derecha, Arco del convento de Santa Catalina.

La influencia que ejerció la ciudad en el siglo XVI en Centroamérica atrajo a numerosas familias adineradas y multitud de órdenes religiosas, de aquí la abundancia de casonas señoriales pero sobre todo de iglesias y conventos, que muestran las heridas del seísmo que sufrió la ciudad en el siglo XVIII. La calle del **Arco del convento de Santa Catalina** es una de las más emblemáticas y frecuentadas de la ciudad. Parte de la plaza Mayor hasta uno de los más bellos conventos: el de **la Merced,** con su vivo porte barroco. Es en esta calle donde se asoma uno de los tradicionales y típicos alojamientos: la posada de Don Rodrigo.

Antigua Guatemala. A la izquierda, café La Escudilla (arriba) e interior de un restaurante (abajo). En la página de la lado: San Jerónimo (arriba) y La Recolección (abajo).

Entre la plaza Mayor y la Merced destacan las casonas de bello cromatismo hoy convertidas en diferentes servicios turísticos como el animado restaurante y bar **La Escudilla**.
Entre los conventos sobresalen el de **La Recolección** y **San Jerónimo** al oeste, que son sorprendentes y monumentales ruinas; o **el Carmen** o **las Capuchinas** al este, y que conservan mejor su estructura original. A un lado de la plaza Mayor se alzan edificios civiles como la **Universidad de San Carlos Borromeo** (sede del Museo de Arte Colonial) o la **Casa de Popenoe,** ejemplo del mobiliario de la aristocracia de entonces. A este lado de la ciudad también es reseñable por su fachada y claustro el **convento de Santa Clara**, precedido por la Pila de la Unión. Igualmente, la **iglesia de San Francisco el Grande**, uno de los edificios más emblemáticos de Antigua, amurallado y con una excelente fachada principal que alberga retablos barrocos y el Museo del Santo Hermano Pedro, de honda devoción en Guatemala.
Antigua cuenta con los más acogedores alojamientos del país, muestra de ello el es reconvertido **convento de Santo Domingo,** una enorme instalación asentada sobre el convento que posee incluso un museo de arte sacro y bellos patios coloniales; o la **Hacienda Lionn Inn**, de los más bellos y acogedores de la ciudad.

Antigua Guatemala. Arriba izquierda: Las Capuchinas, abajo y a la derecha, dos piezas del Museo de Arte Sacro de Santo Domingo. En la página de al lado, de arriba abajo: San Agustín, el volcán Agua y el volcán Fuego.

Antigua es un lugar ideal para las compras porque existen numerosas tiendas y galerías de arte. En el **Mercado** se pueden encontrar las más diversas artesanías del país y es muy colorida y animada la parte dedicada a la venta de frutas y verduras. También son numerosos los pueblecitos vecinos donde comprar artesanía y disfrutar de los mercados indígenas como **Chimaltenango**, **San Antonio Aguascalientes** o **Jacotenango**, pueblo vecino a La Antigua y que luce una hermosa iglesia colonial.

Un momento estelar para disfrutar de la localidad es la Semana Santa, quizá una de las fiestas más importantes de Guatemala, donde las calles se engalanan de alfombras de serrín y flores y se llenan de cofrades con sus diversos pasos de imaginería castellana.

Desde Antigua se puede ir hasta el Pacífico, la zona menos conocida y turística del país, y hacia **San José**, con sus bellas playas y puerto de cruceros o Puerto Quetzal, pasando por **Cotzumalguapa**, considerados los primeros restos precoloniales de Guatemala. El Biotopo de **Monterrico**, por su parte, es uno de los mejores espacios naturales del Pacífico centroamericano lleno de esteros, manglares y rica fauna.

ALTO
UNA VIA

.adventureguatemala.com

San Antonio Palopó (arriba); Santa Catarina Palopó (a la derecha).

ATITLÁN, PARAÍSO DE AGUA Y FUEGO, PARAÍSO INDÍGENA

El sosiego de Atitlán sorprende como la belleza de los volcanes de Tolimán, San Pedro y Atitlán (3.505 metros) reflejados en esta superficie de agua de 125 km^2 . El lago es parte de una caldera desplomada e inundada de un volcán. Al él se asoman pequeños pueblos con sus embarcaderos poblados por diferentes pueblos indígenas, lo que le da un atractivo más a este paradisíaco rincón de Guatemala.

ELY

Iglesia de San Francisco de Asís en Panajachel. En la página de al lado: iglesia de Santiago Atitlán (arriba izquierda; "Los Encuentros" (arriba derecha); Santa Catarina Palopó (centro izquierda); dos vistas de Sololá (abajo).

Una carretera circunda buena parte del lago y nos permite hacer escalas desde Panajachel en pequeños pueblos donde comprar artesanías, sobre todo textiles, de cestería, cerámica, cuero y madera. San Andrés de Sametabaj, Santa Catarina Palopó, San Antonio Palopó, San Lucar Tolimán o Santiago Atitlán son las pequeñas poblaciones rurales con ejemplos de arquitectura religiosa colonial más conocidas.
Desde Sololá, la cabeza departamental fundada por los españoles en 1547, se pueden observar magníficas panorámicas del lago rodeado de volcanes y frondosa selva donde son habituales las cascadas de agua.
Sololá es conocida por su animado mercado por el colorido y representaciones del campanario de la iglesia de Nuestra Señora de la Asunción.
Panajachel es el punto más turístico, está rodeado de un cuidado paisaje de cafetales y jardines ubicado en la plaza con la fachada de la iglesia colonial de San Francisco de Asís. Es centro de servicios y de una rica variedad de áreas de diversión, hoteles y restaurantes, algunos de ellos se convierten en improvisado mirador al lago, es el caso del Porta Hotel del Lago o La Posada de Don Rodrigo. Cerca está el embarcadero tradicional desde donde se puede acceder por lancha a los pueblos de la ribera.

9 DE FEBRERO DE

Chichicastenango. Abajo, el mercado; en la página de al lado, iglesia de Santo Tomás con su escalinata.

CHICHICASTENANGO, SINCRETISMO DE RELIGIÓN Y COLORIDO

Chichicastenango es otro de los puntos obligados en un visita a Guatemala. Se sitúa en medio de un intrincado paisaje montañoso dominado por profundos valles y barrancos. El exiguo caserío es conocido por el mercado que se celebra allí los jueves y domingos y que congrega desde tiempos inmemoriales a campesinos de los alrededores y artesanos venidos de diferentes puntos del país. El bullicio y el color se dan cita en el espacio que separa los dos templos de la localidad. La **iglesia de Santo Tomás** y su escalinata son un espectáculo para los sentidos. Allá los indígenas quiché piden a su Dios remedios para las desgracias. La iglesia de 1540 y la escalinata nos denotan el sincretismo religioso que se da en el templo, por una parte la fachada colonial del templo barroco católico y, por otra, la escalinata que nos recuerda las pirámides mayas. Al otro lado de la plaza, siguiendo un laberinto de puestos de artesanía, está la blanca **capilla del Calvario**. Entre ambas iglesias se halla el Museo Regional. Y en la calle principal, adoquinada y transitada por destartaladas guaguas, se ubica un bello edificio colonial sede del Hotel Santo Tomás, donde se cuidan los más mínimos detalles que van desde la decoración ambiental hasta el vestuario del servicio. Cerca de Chichicastenango encontramos el **cerro Pascual Abaj**, nombre de la piedra de sacrificio donde todavía se realizan ritos ancestrales prehispánicos.

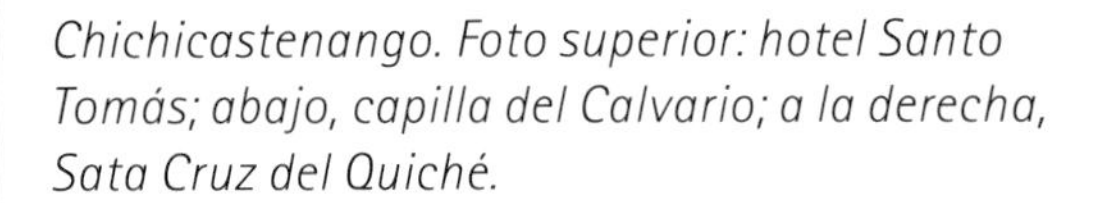

Chichicastenango. Foto superior: hotel Santo Tomás; abajo, capilla del Calvario; a la derecha, Sata Cruz del Quiché.

Más al norte está la cabecera del departamento: **Santa Cruz del Quiché**. Desde Chichi el paisaje montañoso se suaviza en la Laguna Lemoa, un excelente paraje natural. Santa Cruz recibe al viajero con largas callejas comerciales que desembocan en un amplio espacio: el Parque Central, donde se dan cita dos de los edificios característicos de esta capital departamental: el edificio de la municipalidad, con su monumental torre en piedra sin pintar; y la iglesia colonial, encalada y construida de piedras extraídas de las ruinas del cercano **sitio arqueológico de**

Kumarcaaj o Utatlán. Este mágico lugar está rodeado de un bosque que parece embrujado y permanece en buena parte aún por excavar observándose los montículos de las pirámides, la plaza y los restos del juego de pelota. Los fines de semana son normales los ritos de ofrendas.
Más al norte, en una zona declarada Reserva de la Biosfera, se encuentran los apartados centros artesanos denominados Triángulo Ixchil, una de las zonas más remotas de Guatemala formada por las poblaciones de Nebaj, Chajul y San Juan Cotzal, y que fueron viejos reductos de la resistencia guerrillera de la reciente historia guatemalteca. Escenario de esta apartada geografía es la agreste sierra de los Cuchumatanes, parte de la frontera natural con México.

Quetzaltenango. Catedral del Espíritu Santo.

QUEZALTENANGO Y LA AUTENTICIDAD DE LAS TIERRAS ALTAS

Quezaltenango o Xela, como también se la conoce, es la segunda ciudad del país. Una tranquila urbe que poco se parece a la ciudad capital. Xela es una mezcla de vida moderna y de conservación de antiguas tradiciones de la cultura maya-quiché. El Parque Centroamérica es el pulmón urbano y enmarca buena parte del legado monumental de esta ciudad, también afectada por los terremotos como demuestra la fachada de su catedral. Punto de reunión destacable y curioso es la doble fachada de la **catedral del Espíritu Santo,** de estructura inicial colonial y barroca, de 1535; la segunda es posterior, de 1899. Preside el largo paseo la **Casa de la Cultura**, edificio neoclásico donde se encuentra el museo de la localidad. Al otro extremo del parque se ubica el animado y modernista **Pasaje Enríquez,** centro de la animada noche local.

Quetzaltenango. Pasaje Enríquez (abajo) y Teatro Municipal (derecha).

Quetzaltenango. Dos vistas del Parque Centroamérica.

En una esquina de la plaza encontramos uno de los alojamientos más tradicionales de la ciudad: la Pensión Bonifaz. De la importante actividad cultural nos hablan los diferentes teatros que existen en Xela; destaca el **Teatro Municipal**, con una bella fachada neoclásica precedida de una estatuilla de Minerva (símbolo de la inteligencia y la sabiduría). Destacado y colorido es el mercado que se despliega junto a la plaza Juárez, al oeste del Parque Centroamérica.

Arriba izquierda, ermita de Salcajá; arriba derecha, Zunil; abajo, mercado de Almolonga.

Son numerosas las excursiones desde Quetzaltenango; se puede ascender al cráter del majestuoso volcán de Chicabal o visitar bellos pueblos con sus iglesias coloniales, como **Salcajá** (con la iglesia más antigua de la República), **San Andrés Xecul** (pintoresca por el fuerte colorido la iglesia y ermita), **Zunil** (y su culto santero a Maximón), **Almolonga** (con su pintoresco mercado de flores y hortalizas) y las **Fuentes Georginas** (famoso y vistoso centro balneario).

Más al norte se encuentra **Huehuetenango,** bulliciosa y desdibujada ciudad más conocida por el próximo sitio arqueológico de **Zaculeu**. En el mercado del miércoles se pueden apreciar las características indumentarias de los indígenas, muy particulares en el caso de los hombres. Zaculeu es un restaurado lugar arqueológico del pueblo mam del período postclásico (1250-1524). Se trata de un vistoso y sorprendente conjunto de templos, pirámides escalonadas y patios para el juego de pelota.

Arriba, Fuentes Georginas; abajo, iglesia de San Andrés Xecul.

Página de al lado, tres vistas de Copán.

Iglesia de Camotán.

Vista de Esquipulas.

EL ORIENTE: DEVOCIÓN CATÓLICA (ESQUIPULAS) Y TRADICIÓN MAYA (COPÁN)

Oriente se compone de departamentos fronterizos con El Salvador y Honduras y la proximidad de Copán a la frontera con Guatemala, las facilidades aduaneras y la importancia de este sitio arqueológico hace imprescindible su visita a pesar de que estemos en tierras hondureñas. Desde la ciudad de Guatemala se desciende hacia el río Montagua, una de las regiones más áridas de Centroamérica parapetada por la **Reserva de la Biosfera de la Sierra de las Minas**. A sus pies se erigen algunas de las mejores muestras de iglesias coloniales, como las existentes en **San Cristóbal de Acasaguastlán,** cuidada localidad donde la temperatura nos recuerda al desierto. En dirección a Esquipulas y Honduras otros ejemplos dignos de visitar son **Camotán** y **Jocotán** con bellos y sencillos ejemplos de arquitectura religiosa colonial.
No lejos, **Esquipulas** es una localidad conocida por los acuerdos a los que se llegó en la década de 1980 y que llevaron la paz a El Salvador y Nicaragua así como por su milagroso Cristo Negro. Del núcleo destaca el imponente cuerpo blanco de la basílica precedido por un jardín junto al cual proliferan numerosos puestos de velas, dulces, recuerdos... El 15 de enero y el 25 de julio la localidad se inunda de peregrinos venidos de diversos puntos del vecino México y de otros lugares de Centroamérica.

Dos vistas de Quiriguá.

La escapada fuera de Guatemala más importante para los amantes del mundo maya es **Copán**, sitio arqueológico de primer orden a escasos kilómetros de la frontera y de fácil acceso desde ésta. Localizada al pie de la sierra del Espíritu Santo, que divide Guatemala y Honduras, está considerada una de las más importantes capitales mayas. A diferencia de Tikal, la ciudad de Copán se caracteriza por tener un aspecto más barroco y elaborado. Cuando el conquistador Diego García Palacios se encontró ante estas ruinas (hacía siglos que habían sido abandonadas) fue tal su asombro que en el informe que presentó al rey la describió como «montes que parecen haber sido hechos a mano». La ciudad debió de estar habitada durante el período preclásico, pero la historia de Copán no parece empezar sino en el año 435, cuando asumió el poder Yak Kuk Mo y que daría origen a una dinastía de 16 gobernantes que se prolongaría hasta el 800. Uno de los reyes más poderosos de la dinastía de Copán fue Humo Jaguar, quien llegó a conquistar la ciudad de Quiriguá (situada en Guatemala) y a sacrificar a su rey. Tuvo un largo reinado durante el cual se levantaron buena parte de los monumentos que hoy en parte se pueden observar. Le sucedió 18 Conejo, capturado y sacrificado por el rey quiriguano Cauac Cielo. No fue sino hasta el reinado de Humo Caracol cuando la ciudad volvió a recobrar su prestigio tanto artístico como militar, fue él quien ordenó la construcción de la gran **Escalinata Jeroglífica**, que contiene la historia de la dinastía iniciada por Yax Kuk Mo.
Las principales atracciones del conjunto son la **Gran Plaza** rodeada de estelas y altares zoomorfos, la mayoría de ellos del reinado del malogrado rey 18 Conejo. Otro punto de interés es el Juego de Pelota, el segundo más grande del mundo maya. Destacan también el **Templo de las Inscripciones** y la **Acrópolis,** bajo la que se extiende la plaza Oeste y la plaza Este con su Templo 16, o **Templo Rosalila,** que tiene como particularidad ser una pirámide construida sobre una anterior conservándose las esculturas de la pirámide interior.
Ya en territorio guatemalteco, y cerca de su rival Copán, se halla **Quiriguá,** un interesante sitio arqueológico de la época clásica que por su relevancia fue declarado en 1979 Patrimonio de la Humanidad por la UNESCO. Este complejo maya se caracteriza por poseer las estelas más altas del mundo maya que se esparcen de manera ordenada en un espacio ajardinado. Las estelas, que tienen unos 10 metros de altura, aunque en realidad dos o tres metros están enterrados, son monolitos esculpidos al estilo de la vecina Copán y en algún caso pesan más de 60 toneladas. El conjunto consta de plaza Central, Juego de Pelota y Acrópolis. Antes de la acrópolis se puede observar una serie de zoomorfos compuestos por tortugas, serpientes, etc.

Vista de Río Dulce.

EL CARIBE GUATEMALTECO Y LA EXÓTICA GUATEMALA GARÍFUNA

El lago Izabal es la antesala al Caribe. Por su magnitud es un lugar propicio para disfrutar de sus playas así como de deportes como la pesca, el esquí acuático, el buceo... El río Dulce horada la selva para, mediante lo que se conoce como El Golfete, desembocar en el Caribe por el pintoresco puerto garífuno de Livingston. En esta pequeña área confluyen diversos espacios naturales que hacen de las cercanías de Izabal un paraíso para los amantes de la naturaleza. **Río Dulce** es uno de los puntos turísticos situado estratégicamente entre el lago Izabal y El Golfete, se trata de un lugar de tránsito con numerosos servicios y con puerto deportivo. Muy cercano está el **castillo de San Felipe**, pequeña y reconstruida fortaleza del siglo XVI que protegía el comercio de galeones españoles de los ataques piratas. Esta pequeña construcción dispone de todos los servicios de un establecimiento militar de la época, incluida la iglesia, siendo la parte más antigua la torre de defensa o torre de Bustamante.

Río Dulce. Jardín de las Ninfas.
En la fotografía superior, el castillo de San Felipe.

Desde Río Dulce se puede hacer un sugestivo recorrido hasta Livingston. Una pequeña aventura que acercará a áreas cubiertas de nenúfares como el **Jardín de las Ninfas**, manantiales cálidos de aguas sulfurosas, estrechos pasos cubiertos de selva, cabañas indígenas junto al mar, islas cubiertas de pájaros y el **Biotopo Chocón-Machacas**, paraíso natural donde habita el manatí.

Livingston (abajo); biotopo Chocón-Machacas (derecha) y Río Dulce (abajo derecha). Página de al lado, Puerto Barrios.

Livingston es un aislado puerto al que sólo se tiene acceso por embarcación y lo curioso de esta población es que está habitada por población negra garífuna, que se refleja tanto en el colorido de sus casas de madera como en el folclore, donde se escucha *reggae* y se baila la desenfrenada danza de la Punta. Ofrece gastronomía de ricos pescados condimentados con variedad de especias y, cómo no, la salsa de coco. Una de las excursiones más característica es llegar a los Siete Altares pasando por la curiosa estatua de la libertad que se levanta sobre un peñasco sobre el océano y junto a paradisíacas playas. Se trata de un conjunto de cascadas y pozas de gran atractivo en época de lluvias. El inglés musical de este pueblo nos recuerda la proximidad del desconocido Belice y uno de sus puertos, Punta Gorda.

Puerto Barrios se halla al otro lado del estero y es una desordenada población e importante núcleo portuario que ha vivido durante mucho tiempo de la pesca y del banano, como indica el muñecón, la grotesca estatua que se puede ver a la entrada del núcleo. Es un lugar de servicios y desde su puerto se puede ir a Livingston, Belice y a la bahía de Amatique. La réplica del Taj Majal del cementerio nos indica que por aquí han pasado mercaderes de diversos lugares. Cercano se encuentra el cuidado centro de vacaciones de Amatique Bay, uno de los más modernos y lujosos alojamientos de Izabal.

Arriba y al lado: San Vicente.
Abajo, la laguna de Alegría.

LA SELVA DEL PETÉN Y EL SECRETO MAYA

El Petén es una selva tropical húmeda de carácter impenetrable y su importante extensión (unos 50.000 km^2) convierte esta zona en uno de los pulmones verdes del Planeta, lo que le ha valido el reconocimiento de Reserva de la Biosfera por la UNESCO. A ello hay que sumar que guarda el secreto de la cultura maya y sus más preciadas joyas. Aparte del conocido Parque Nacional de Tikal y de su impresionante ciudad existen otras de acceso más difícil y no por ello de menor importancia como es el caso de la vecina **Uaxactún,** donde hay árboles de los que se extrae la famosa pasta para fabricar los chicles; las ciudades lacustres de **Yaxhá** y **Topoxté** y, sobre todo, **El Mirador** (cerca de la frontera con México) la ciudad más importante del período preclásico tardío con estructuras incluso más sorprendentes a Tikal pero también de más difícil acceso y, por ello, menos visitada por turistas.
Los centros de servicios más cercanos los encontramos alrededor del tranquilo lago Petén Itza y en sus orillas localidades como la pintoresca **Flores** que, con su perfecto trazado urbano colonial, inunda una antigua isla hoy unida al continente. La ciudad ofrece diversas opciones de alojamientos, restaurantes y tiendas así como excursiones en las vistosas embarcaciones de los improvisados muelles y es un lugar ideal para conocer la vasta región de la selva del norte de Guatemala o El Petén.
Tikal se sitúa en medio de la selva de El Petén. Dada su extensión y magnificencia está considerada como una de las principales capitales del mundo Maya y, por estar inmersa en este tipo de territorio, una de las más auténticas y evocadoras. Las ruinas se encuentran dentro de un parque natural de carácter silvestre de 576 km^2 de los cuales 16 corresponden a la antigua ciudad maya, en este perímetro se han catalogado cerca de 4.000 monumentos y construcciones, la mayoría de ellos aún sin desenterrar.
Los orígenes de Tikal se remontan al período preclásico, al año 800 a.C, y son las construcciones más recientes las que pertenecen al período clásico tardío, 900 d.C. Se cree que en su época de mayor esplendor pudo albergar una población de más de 60.000 habitantes y su época de existencia fue, aproximadamente, de 1.600 años. Su decadencia y desaparición, al igual que el de todas las ciudades mayas del período clásico, es, al día de hoy, un enigma. Su auge, por el contrario, se dio dada su localización estratégica, a medio camino entre Palenque, las ciudades mayas de Yucatán y la costa del Caribe, como punto que facilitaba el intercambio comercial. Entre las ruinas se han encontrado estelas con fechas esculpidas en jeroglíficos, siendo la más antigua del año 292 y la más reciente del año 869, las cuales han servido de indicios para determinar el período de esplendor de la ciudad.
Los primeros edificios que se levantaron en Tikal fue el conjunto de la **Acrópolis Norte** en el 200 a.C. Después de la decadencia sobrevenida en el siglo X d.C. la ciudad fue devorada por la selva, manteniéndose oculta durante varios siglos. Fue en 1695 cuando un sacerdote español perdido en la selva se encontró ante las ruinas de la ciudad sin que la administración española de aquella época diera importancia al hallazgo. No fue sino hasta el año 1848 cuando se hicieron las primeras expediciones al lugar y, desde entonces, han desfilado por el área los más prestigiosos arqueólogos como Maler o Tozzer, en cuyo honor han sido bautizadas varias calzadas del sitio arqueológico.

En la doble página anterior, a la izquierda y a la derecha, arriba, vistas de Tikal. Abajo, El Ceibal.

Entre los puntos de interés cabe destacar la **plaza Mayor** donde se pueden apreciar las principales muestras arquitectónicas como son el Templo I, o **Templo del Gran Jaguar**; la pirámide del **Templo II o de las Máscaras**, frente a este; más atrás, un poco a la izquierda y devorado por la selva se puede ver la punta del Templo III y, al fondo, la cresta del Templo IV, o **Templo de la Serpiente Bicéfala,** que ofrece las mejores y más inolvidables vistas desde su altar. A la derecha vemos la Acrópolis Norte y a la izquierda la Acrópolis Central, delimitada por una fila de estelas y altares esculpidos que indicaban la secuencia dinástica de Tikal. Otros templos son el **Templo VI** o **de las Inscripciones**, la **Gran Pirámide** o **Mundo Perdido**, uno de los conjuntos más antiguos y que recuerdan a Tehotihuacán.
Más al sur siguiendo los ríos de la Pasión y el Usumacinta, frontera natural con México, encontramos otros restos de ciudades que también nos pueden sorprender. Es el caso de **El Ceibal** y sus impresionantes estelas, **Aguateca**, **Dos Pilas** o **Piedras Negras**, en plena selva Lacandona y no muy lejos de Palenque (Chiapas).

Cuevas del Rey Marco.

COBÁN, TIERRA DE CUEVAS Y AGUA

Cobán es la capital de la Alta Verapaz y el corazón de Guatemala, una zona natural de alto valor ecológico (gran variedad de orquídeas y hábitat del quetzal, el símbolo nacional) dominada por selva húmeda donde abundan caudalosos ríos, grandes cascadas y cuevas. De la «Ciudad Imperial» y cafetera de **Cobán** destaca la catedral, construida en 1543. Tiene bellos retablos y la campana, que cayó desde la torre, preside un largo

Arriba, San Juan Chamelco; abajo, catedral de Cobán. Página siguiente, Semuc Champey.

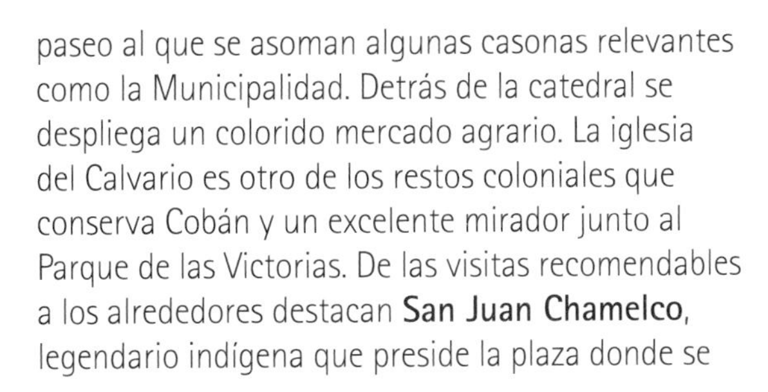

paseo al que se asoman algunas casonas relevantes como la Municipalidad. Detrás de la catedral se despliega un colorido mercado agrario. La iglesia del Calvario es otro de los restos coloniales que conserva Cobán y un excelente mirador junto al Parque de las Victorias. De las visitas recomendables a los alrededores destacan **San Juan Chamelco,** legendario indígena que preside la plaza donde se encuentra la bella iglesia colonial; y las **cuevas del Rey Marcos**, un tranquilo y misterioso espacio natural. Como cuevas también destacan por su espectacularidad las de la Candelaria y las **grutas de Lanquín,** surcadas por ríos subterráneos y pozas. Entre los innumerables espacios naturales sobresalen por su belleza inigualable **Semuc Champey**, un complejo de pozas escalonadas y de aguas esmeraldas. La cercana localidad de Lanquín parece haberse detenido en el tiempo rodeada de plantaciones de café y con su destacada y vieja iglesia colonial. Dentro de este ambiente ecológico es necesario mencionar el alojamiento ecológico Ram Tzul, en el cercano Biotopo del Quetzal, desde donde se pueden hacer excursiones a espectaculares saltos de agua.